falas curtas

ANNE CARSON

falas curtas

TRADUÇÃO DE LAURA ERBER
E SERGIO FLAKSMAN

/re.li.cá.rio/

© Anne Carson, 1992
© Relicário Edições, 2022

Dados Internacionais de Catalogação na Publicação (CIP) de acordo com ISBD

C321f
Carson, Anne
Falas curtas / Anne Carson ; traduzido por Laura Erber, Sergio Flaksman.
– Belo Horizonte: Relicário, 2022.
108 p. ; 12,5cm x 21cm.
Tradução de: *Short talks*
ISBN: 978-65-89889-46-5
1. Literatura canadense. 2. Poesia. I. Erber, Laura. II. Flaksman, Sergio. III. Título.
CDD 823
2022-2238   CDU 821.111

Canada Council   Conseil des arts
for the Arts   du Canada

Agradecemos o apoio do Canada Council for the Arts para esta tradução.
We acknowledge the support of the Canada Council for the Arts for this translation.

Agradecemos à editora Brick Books a permissão para o uso dos originais em inglês na composição de nossa edição bilíngue.

Coordenação editorial Maíra Nassif
Editor-assistente Thiago Landi
Preparação Maria Fernanda Moreira
Capa, projeto gráfico e diagramação Caroline Gischewski
Imagem da capa e da p. 5 "Ainda que Dura" – Série de monotipias
                              | Aruan Mattos e Flavia Regaldo
Revisão de provas Thiago Landi

RELICÁRIO EDIÇÕES
Rua Machado, 155, casa 1, Colégio Batista | Belo Horizonte, MG, 31110-080
contato@relicarioedicoes.com | www.relicarioedicoes.com
@relicarioedicoes   /relicario.edicoes

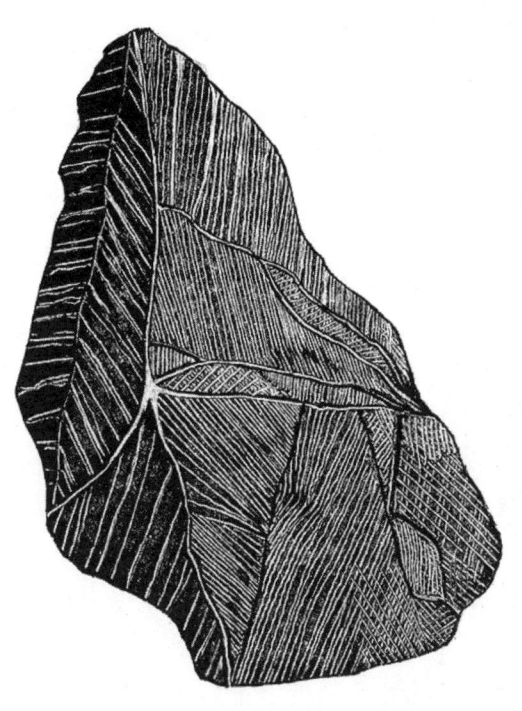

9	Introdução
13	Fala Curta Sobre o *Homo Sapiens*
15	Fala Curta Sobre as Esperanças
17	Fala Curta Sobre Cromoluminarismo
19	Fala Curta Sobre as Gueixas
21	Fala Curta Sobre Gertrude Stein em Torno das 9:30
23	Fala Curta Sobre Como Ele Desenhava
25	Fala Curta Sobre Habitação
27	Fala Curta Sobre as Decepções na Música
29	Fala Curta Sobre Destinos de Viagem
31	Fala Curta Sobre Por Que Algumas Pessoas Adoram Trens
33	Fala Curta Sobre Trutas
35	Fala Curta Sobre Ovídio
37	Fala Curta Sobre o Autismo
39	Fala Curta Sobre Parmênides
41	Fala Curta Sobre a Defloração
43	Fala Curta Sobre Maior e Menor
45	Fala Curta Sobre as Leis da Perspectiva
47	Fala Curta Sobre *Le Bonheur D'Être Bien Aimée*
49	Fala Curta Sobre Brigitte Bardot
51	Fala Curta Sobre a Retificação
53	Fala Curta Sobre Van Gogh
55	Fala Curta Sobre Pedras do Sono
57	Fala Curta Sobre Andar Para Trás
59	Fala Curta Sobre a Impermeabilização

61	Fala Curta Sobre a Mona Lisa
63	Fala Curta Sobre o Fim
65	Fala Curta Sobre Sylvia Plath
67	Fala Curta Sobre a Leitura
69	Fala Curta Sobre a Chuva
71	Fala Curta Sobre as Vicunhas
73	Fala Curta Sobre a Coleção Total
75	Fala Curta Sobre Charlotte
77	Fala Curta Sobre o Jantar de Domingo Com Meu Pai
79	Fala Curta Sobre o Jovem à Noite
81	Fala Curta Sobre *A Aula de Anatomia do Dr. Deyman*
83	Fala Curta Sobre as Orquídeas
85	Fala Curta Sobre a Servidão Penal
87	Fala Curta Sobre a Verdade Revelada nos Sonhos
89	Fala Curta Sobre a Ferida Noturna no Mundo de Hölderlin
91	Fala Curta Sobre a Sensação na Decolagem do Avião
93	Fala Curta Sobre a Minha Tarefa
95	Fala Curta Sobre o Hedonismo
97	Fala Curta Sobre o Rei e Sua Coragem
99	Fala Curta Sobre Refúgios
101	Fala Curta Sobre Quem Você É
103	Posfácio da autora
107	Sobre a autora

Introduction

Early one morning words were missing. Before that, words were not. Facts were, faces were. In a good story, Aristotle tells us, everything that happens is pushed by something else. One day someone noticed there were stars but no words, why? I've asked a lot of people, I think it is a good question. Three old women were bending in the fields. What use is it to question us? they said. Well it shortly became clear that they knew everything there is to know about the snowy fields and the bluegreen shoots and the plant called 'audacity' that poets mistake for violets. I began to copy out everything that was said. The marks construct an instant of nature gradually, without the boredom of a story. I emphasize this. I will do anything to avoid boredom. It is the task of a lifetime. You can never know enough, never work enough, never use the infinitives and participles oddly enough, never impede the movement harshly enough, never leave the mind quickly enough.

Introdução

Um dia de manhã cedo faltavam palavras. Antes disso, nenhuma palavra. Havia fatos, havia rostos. Numa boa história, diz Aristóteles, tudo o que acontece é impelido por alguma outra coisa. Um dia alguém reparou que havia estrelas mas palavras não; por quê? Perguntei a muita gente, me parece uma boa pergunta. Havia três velhas curvadas nos campos. De que adianta nos interrogar? perguntaram. Pois logo ficou claro que sabiam tudo o que se pode saber sobre os campos nevados e os brotos verde-azuis e a planta chamada "audácia" que os poetas confundem com violetas. Comecei a anotar tudo o que era dito. Os rastros e vestígios constroem aos poucos um flagrante da natureza, sem a monotonia de uma história. Isso para mim é importante. Faço qualquer coisa para evitar o tédio. É tarefa para a vida inteira. Ninguém consegue saber o necessário, trabalhar o necessário, empregar sempre com a estranheza necessária os infinitivos e particípios, impedir o movimento com a necessária rispidez, abandonar a própria mente com a velocidade necessária.

In 53 fascicles I copied out everything that was said, things vast distances apart. I read the fascicles each day at the same time, until yesterday men came and took up the fascicles. Put them in a crate. Locked it. Then together we viewed the landscape. Their instructions were clear, I am to imitate a mirror like that of water (but water is not a mirror and it is dangerous to think so). In fact I was the whole time waiting for them to leave so I could begin filling in the parts I missed. So I am left with 3 fascicles (which I hid). I have to be careful what I set down. Aristotle talks about probability and necessity, but what good is a marvel, what good is a story that does not contain poison dragons. Well you can never work enough.

Em 53 fascículos anotei tudo que era dito, coisas separadas por vastas distâncias. Lia os fascículos todo dia à mesma hora, até que ontem homens chegaram e recolheram os fascículos. Guardaram num caixote. Trancaram a cadeado. Depois ficamos observando juntos a paisagem. Suas instruções eram claras; eu precisava imitar um espelho como o da água (mas a água não é um espelho, e é perigoso pensar assim). Na verdade passei todo o tempo esperando que fossem embora para poder começar a preencher as partes que faltavam. Fiquei com 3 fascículos (que escondi). Preciso tomar cuidado com o que escrevo. Aristóteles fala de probabilidade e necessidade, mas de que serve um prodígio, de que serve uma história que não tenha dragões venenosos. Bem, nunca se consegue trabalhar o necessário.

Short Talk On *Homo Sapiens*

With small cuts Cro-Magnon man recorded the moon's phases on the handles of his tools, thinking about her as he worked. Animals. Horizon. Face in a pan of water. In every story I tell comes a point where I can see no further. I hate that point. It is why they call storytellers blind – a taunt.

Fala Curta Sobre o *Homo Sapiens*

Com pequenos entalhes o homem de Cro-Magnon registrou as fases da lua no cabo das ferramentas, o pensamento nela enquanto trabalhava. Animais. Horizonte. Rosto numa vasilha d'água. Em toda história que conto chega um momento em que não consigo enxergar mais à frente. Detesto esse ponto. Por isso dizem que os narradores são cegos — uma afronta.

Short Talk On Hopes

Soon I hope to live in a totally rubber house. Think how quickly I will be able to get from room to room! One good bounce and you're there. I have a friend whose hands were melted off by a firebomb during the war. Now, once again, he will learn to pass the bread at the dinner table. Learning is life. I hope to invite him over this evening in fact. Learning is the same colour as life. He says things like that.

Fala Curta Sobre as Esperanças

Espero em breve viver numa casa toda de borracha. Imaginem como seria fácil se deslocar de um cômodo a outro! Um bom pulo e já chegamos. Um amigo meu teve as mãos derretidas por uma bomba incendiária durante a guerra. Agora, mais uma vez, ele vai aprender a passar adiante o pão na hora do jantar. Aprender é viver. Aliás, estou querendo convidá-lo hoje à noite. Aprender tem o mesmo gosto da vida. Ele diz coisas assim.

Short Talk On Chromo-luminarism

Sunlight slows down Europeans. Look at all those spellbound people in Seurat. Look at Monsieur, sitting deeply. Where does a European go when he is 'lost in thought'? Seurat – the old dazzler – has painted that place. It lies on the other side of attention, a long lazy boat ride from here. It is a Sunday rather than a Saturday afternoon there. Seurat has made this clear by a special method. *Ma methode*, he called it, rather testily, when we asked him. He caught us hurrying through the chill green shadows like adulterers. The river was opening and closing its stone lips. The river was pressing Seurat to its lips.

Fala Curta Sobre Cromoluminarismo

A luz do sol deixa os europeus mais lentos. Vejam todas essas pessoas mesmerizadas em Seurat. Vejam Monsieur, profundamente sentado. Onde vai parar o europeu que se "perde em pensamentos"? Seurat — mestre da ofuscação — pintou esse lugar. Fica do outro lado da atenção, a uma longa e morosa viagem de barco daqui. É uma tarde de domingo e não de sábado nesse lugar. Seurat deixou isto claro usando um método especial. *Ma méthode*, era como respondia, irritado, quando perguntávamos. Ele nos flagrou correndo como adúlteros pelas frescas sombras verdes. O rio abria e fechava seus lábios de pedra. O rio apertava Seurat contra os lábios.

Short Talk On Geisha

The question of geisha and sex has always been complex. Some do, some don´t. In fact, as you know, the first geisha were men (jesters and drummers). Their risky patter made the guests laugh. But by 1780 'geisha' meant woman and the glamorous business of the tea houses had been brought under government control. Some geisha were artists and called themselves 'white'. Others with nicknames like 'cat' or 'tumbler' set up shacks every night on the wide riverbed, to vanish by dawn. The important thing was, someone to yearn for. Whether the quilt was long, or the night was too long, or you were given this place to sleep or that place to sleep, someone to wait for until she is coming along and the grass is stirring, a tomato in her palm.

Fala Curta Sobre as Gueixas

A questão das gueixas e o sexo sempre foi complexa. Algumas sim, outras não. Na verdade, como devem saber, as primeiras gueixas eram homens (bufões com tambores). Sua tagarelice atrevida fazia rir os presentes. Mas já em 1780 "gueixa" subentendia mulher, e o governo assumira o controle do sofisticado negócio das casas de chá. As gueixas artistas se diziam "brancas". Outras com alcunhas como "gata" ou "acrobata" armavam barracas toda noite no largo leito do rio, e desapareciam ao amanhecer. O importante era alguém que despertasse o desejo. Fosse a colcha muito comprida, a noite longa demais ou você convidado a dormir neste ou naquele lugar, alguém por quem esperar até ela surgir agitando a relva, um tomate na palma da mão.

Short Talk On Gertrude Stein About 9:30

How curious. I had no idea! Today has ended.

Fala Curta Sobre Gertrude Stein em Torno das 9:30

É curioso. Eu não fazia ideia. O dia de hoje terminou.

Short Talk On His Draughtsmanship

He would encourage me to move about the studio. Would not give me a pose. Drew without looking at the paper. Drew on the floor. Follow the lines, he would say, watch the surroundings. A thin arm makes a face sadder. Describing shadows he grew small, rascally.

Fala Curta Sobre Como Ele Desenhava

Ele dizia para eu me mover pelo ateliê. Não indicava uma pose. Desenhava sem olhar para o papel. Desenhava no chão. Acompanhe as linhas, me dizia, olhe à sua volta. Um braço fino deixa o rosto mais triste. Quando descrevia as sombras ele se diminuía, maldoso.

Short Talk On Housing

Here is one thing you can do if you have no house. Wear several hats – maybe three, four. In the event of rain or snow, remove the one(s) that get(s) wet. Secondly, to be a householder is a matter of rituals. Rituals function chiefly to differentiate horizontal from vertical. To begin the day in your house is to 'get up'. At night you will 'lie down'. When old Tio Pedro comes over for tea you will 'speak up', for these days his hearing is 'on the decline'. If his wife is with him you will be sure to have 'cleaned up' the kitchen and parlour so as not to 'fall' in her opinion. Watching the two of them, as they sit side by side on the couch smoking one cigarette, you feel your 'heart lift'. These patterns of up and down can be imitated, outside the house, in vertical and horizontal designs upon the clothing. The lines are not hard to make. Hats do not need to be so decorated for they will 'pile up' on your head, in and of themselves, *qua* hats, if you have understood my original instruction.

Fala Curta Sobre Habitação

Eis uma coisa que você pode fazer se não tiver uma casa. Use vários chapéus — talvez três, quatro. Em caso de chuva ou neve, tire o(s) que ficar(em) molhado(s). Em segundo lugar, ocupar uma casa é uma questão de rituais. A função principal dos rituais é distinguir a horizontal da vertical. Começar o dia em casa é "se levantar". À noite, você "se estende" na cama. Quando o velho Tio Pedro vem para um chá, você "levanta a voz", pois ultimamente a audição dele está "declinando". Se a mulher vem com ele, você vai tomar cuidados "à altura" com a cozinha e a sala para não "cair" na opinião dela. Olhando para os dois, sentados lado a lado no sofá fumando um cigarro, você sente seu coração "alçar voo". Esses padrões do que sobe ou desce podem ser reproduzidos, fora de casa, com roupas de estampas horizontais ou verticais. Não é difícil traçar as linhas. Já os chapéus não precisam desta decoração porque já se empilham "no topo" da sua cabeça, em si e por si mesmos, enquanto chapéus, se você tiver entendido minha instrução inicial.

Short Talk On Disappointments In Music

Prokofiev was ill and could not attend the performance of his First Piano Sonata played by somebody else. He listened to it on the telephone.

Fala Curta Sobre as Decepções na Música

Prokofiev adoeceu e não pôde comparecer à apresentação de sua Primeira Sonata para Piano tocada por outra pessoa. Escutou-a pelo telefone.

Short Talk On Where To Travel

I went travelling to a wreck of a place. There were three gates standing ajar and a fence that broke off. It was not the wreck of anything else in particular. A place came there and crashed. After that it remained the wreck of a place. Light fell on it.

Fala Curta Sobre Destinos de Viagem

Viajei até um lugar em ruínas. Havia três portões escancarados e uma cerca quebrada. Não eram escombros de nada em especial. Um lugar chegou ali e se espatifou. Depois disso ficou sendo um lugar em ruínas. A luz batia nele.

Short Talk On Why Some People Find Trains Exciting

It is the names Northland Sante Fe Nickle Plate Line Delta Jump Dayliner Heartland Favourite Taj Express it is the long lit windows the plush seats the smokers the sleeping cars the platform questions the French woman watching me from across the aisle you never know the little lights that snap on overhead the noctilucal areas the cheek-wary page turning of course I have a loyal one at home it is the blue trainyards the red switch lights the unopened chocolate bar the curious rumpled little ankle socks speeding up to 130 kilometres per hour black trees crowding by bridges racketing past the reading glasses make her look like Racine or Baudelaire *je ne sais plus lequel* stuffing their shadows into her mouth *qui sait meme qui sait.*

Fala Curta Sobre Por Que Algumas Pessoas Adoram Trens

São os nomes Northland Santa Fe Nickel Plate Line Delta Jump Dayliner Heartland Favourite Taj Express são as janelas compridas e iluminadas os assentos de veludo os vagões para fumantes os vagões-leito as perguntas na plataforma a francesa que me encara do outro lado do corredor nunca se sabe as luzinhas do alto que se acendem com um clique as áreas noctilúcias as páginas viradas sem raspar na bochecha é claro que tenho alguém fiel à minha espera são os pátios de manobra azuis as luzes de aviso vermelhas a barra de chocolate por abrir as meias soquete interessantes e curiosamente franzidas correndo a 130 por hora árvores pretas aglomeradas junto às pontes estrepitosas sucedem-se nos óculos de leitura e lhe dão um ar de Racine ou Baudelaire *je ne sais plus lequel* entupindo-lhe a boca com as suas sombras *qui sait même qui sait.*

Short Talk On Trout

In haiku there are various sorts of expressions about trout – 'autumn trout' and 'descending trout' and 'rusty trout' are some I have heard. 'Descending trout' and 'rusty trout' are trout that have laid their eggs. Worn out, completely exhausted, they are going down to the sea. Of course there were occasionally trout that spent the winter in deep pools. These were called 'remaining trout'.

Fala Curta Sobre Trutas

Nos haikus há várias expressões sobre trutas — "truta de outono" e "truta que desce" e "truta enferrujada" são algumas que já ouvi. "Truta que desce" e "truta enferrujada" são as trutas que já puseram seus ovos. Acabadas, totalmente exaustas, descem de volta para o mar. Claro que havia ocasionalmente trutas que passavam todo o inverno em remansos profundos. Essas eram chamadas de "trutas que ficam".

Short Talk On Ovid

I see him there on a night like this but cool, the moon blowing through black streets. He sups and walks back to his room. The radio is on the floor. Its luminous green dial blares softly. He sits down at the table; people in exile write so many letters. Now Ovid is weeping. Each night about this time he puts on sadness like a garment and goes on writing. In his spare time he is teaching himself the local language (Getic) in order to compose in it an epic poem no one will ever read.

Fala Curta Sobre Ovídio

Eu o imagino lá numa noite como a de hoje só que fria, a lua soprando por ruas escuras. Ele janta e caminha de volta para o quarto. O rádio está no chão. O mostrador verde luminescente soa baixinho. Ovídio senta-se à mesa; gente exilada escreve tantas cartas. Agora ele está chorando. Toda noite por volta dessa hora ele se agasalha com a tristeza e continua a escrever. Em seu tempo de folga, aprende sozinho a língua local (gético) para compor nela um poema épico que ninguém jamais lerá.

Short Talk On Autism

She cannot quite hear what the doctor is saying it is a large grey cheerful woman its language is boomings beckonings boulders boasts boomerangs bowler hats. Brother? Tell me about your brother? From the tip of its pencil *what does it eat, light?* shriller than a rat's scream slices her backwall into *what does it* jump blue and grabs at them cuts herself off at the root now adrift on that wayland membrane where *what does* wander yondering all those blades of asunder her *what* flying off in conversation all her life and *eat* kept *eat* going let's say they're at large somewhere say Central Park doing *eat eat eat* who knows what damage *eat light?*

Fala Curta Sobre o Autismo

Ela não escuta muito bem o que a médica está dizendo é uma mulher corpulenta grisalha animada as palavras são ir ira inação lição limão imersão. Irmão? Fale do seu irmão? Com a ponta do seu lápis *o que ele come, coisas leves?* mais fina que um guincho de rato corta a parede atrás de si *o que ele* come que vira um poço de mergulho livre e ela se agarra a essas fatias e se desprende junto à raiz e sai à deriva e atravessa o filtro de membrana até onde *o quê* vagueiam por perto essas lâminas agora separadas *o quê* que voam em conversas toda a vida *ele come* e a fazem *come* seguir em frente digamos que à solta em algum lugar digamos o Central Park produzindo *come come come* vá saber quais estragos *come coisas leves?*

Short Talk On Parmenides

We pride ourselves on being civilized people. Yet what if the names for things were utterly different? Italy, for example. I have a friend named Andreas, an Italian. He has lived in Argentina as well as in England, and also Costa Rica for some time. Everywhere he lives, he invites people over for supper. It is a lot of work. Artichoke pasta. Peaches. His deep smile never fades. What if the proper name for Italy turns out to be Brzoy – will Andreas continue to travel the world like the wandering moon with her borrowed light? I fear we failed to understand what he was saying or his reasons. What if every time he said 'cities' he meant 'delusion', for example?

Fala Curta Sobre Parmênides

Nos gabamos de ser gente civilizada. Mas e se os nomes das coisas fossem totalmente outros? A Itália, por exemplo. Tenho um amigo chamado Andreas, italiano. Viveu na Argentina e na Inglaterra, e depois um tempo na Costa Rica. Em todo lugar onde mora, convida gente para jantar. Tudo muito laborioso. Massas com alcachofra. Pêssegos. Seu sorriso profundo nunca desbota. E se o nome verdadeiro da Itália fosse Brzoy? — irá Andreas continuar viajando pelo mundo como a lua errante com sua luz de empréstimo? Receio não termos entendido o que ele dizia ou seus motivos. E se cada vez que ele dizia "cidades" quisesse dizer "embuste", por exemplo?

Short Talk On Defloration

The actions of life are not so many. To go in, to go, to go in secret, to cross the bridge of sighs. And when you dishonoured me, I saw that dishonour is an action. It happened in Venice, it causes the vocal chords to swell. I went booming through Venice, under and over the bridges, but you were gone. Later that day I telephoned your brother. What's wrong with your voice? he said.

Fala Curta Sobre a Defloração

As ações numa vida nem são tantas. Entrar, seguir, continuar em segredo, atravessar a ponte dos suspiros. E quando você me desonrou, entendi que a desonra é uma ação. Aconteceu em Veneza, as cordas vocais ficaram inchadas. Saí estrondeando por toda Veneza, por baixo e por cima das pontes, mas você tinha ido embora. Mais tarde no mesmo dia telefonei para o seu irmão. O que houve com a sua voz? ele perguntou.

Short Talk On Major And Minor

Major things are wind, evil, a good fighting horse, prepositions, inexhaustible love, the way people choose their king. Minor things include dirt, the names of schools of philosophy, mood and not having a mood, the correct time. There are more major things than minor things overall, yet there are more minor things than I have written here, but it is disheartening to list them. When I think of you reading this I do not want you to be taken captive, separated by a wire mesh lined with glass from your life itself, like some Elektra.

Fala Curta Sobre Maior e Menor

Maiores são o vento, o mal, um bom cavalo de batalha, as preposições, o amor inesgotável, a maneira como as pessoas escolhem o rei. Entre as coisas menores estão a poeira, os nomes das escolas filosóficas, o estado de ânimo ou sua ausência, a hora certa. No fim das contas existem mais coisas maiores que menores, mas existem muito mais coisas menores do que enumerei aqui, só que fazer a lista desanima. Quando penso em vocês lendo isto eu não quero vê-los capturados, separados de sua própria vida por um vidro reforçado com grades de metal, como alguma Elektra.

Short Talk On The Rules Of Perspective

A bad trick. Mistake. Dishonesty. These are the view of Braque. Why? Braque rejected perspective. Why? Someone who spends his life drawing profiles will end up believing that man has one eye, Braque felt. Braque wanted to take full possession of objects. He has said as much in published interviews. Watching the small shiny planes of the landscape recede out of his grasp filled Braque with loss so he smashed them. *Nature morte*, said Braque.

Fala Curta Sobre as Leis da Perspectiva

Trapaça. Erro. Desonestidade. Foram as opiniões de Braque. Por quê? Braque rejeitou a perspectiva. Por quê? Alguém que passe a vida desenhando pessoas de perfil acaba achando que os humanos têm um olho só, sentia Braque. Braque queria tomar plena posse dos objetos. Foi o que declarou em entrevistas publicadas. Ver os pequenos planos reluzentes da paisagem recuando para fora do seu alcance enchia Braque de pesar, por isso ele os espatifou. *Nature morte*, disse Braque.

Short Talk On *Le Bonheur D'Être Bien Aimée*

Day after day I think of you as soon as I wake up. Someone has put cries of birds on the air like jewels.

Fala Curta Sobre *Le Bonheur D'Être Bien Aimée*

Dia após dia eu penso em você assim que acordo. Alguém distribuiu gritos de aves pelo ar como se fossem pedras preciosas.

Short Talk On Brigitte Bardot

Brigitte Bardot is on the prowl. What does she want, a slave? to satisfy her hungers and make beautiful photographs. Whose slave is it? She does not care, she never blames herself. Using oil she will make the slave shine. Perfect. *La folie*, she will think to herself.

Fala Curta Sobre Brigitte Bardot

Brigitte Bardot está de tocaia. O que ela quer, um escravo? para saciar suas fomes e tirar lindas fotografias. Ele é escravo de quem? Ela não se importa, nunca se acha culpada. Usando óleo ela deixará o escravo lustroso. Perfeito. *La folie*, dirá a si mesma.

Short Talk On Rectification

Kafka liked to have his watch an hour and a half fast. Felice kept setting it right. Nonetheless for five years they almost married. He made a list of arguments for and against marriage, including inability to bear the assault of his own life (for) and the sight of the nightshirts laid out on his parents' beds at 10:30 (against). Hemorrhage saved him. When advised not to speak by doctors in the sanatorium, he left glass sentences all over the floor. Felice, says one of them, had too much nakedness left in her.

Fala Curta Sobre a Retificação

Kafka preferia manter seu relógio uma hora e meia adiantado. Felice o devolvia sempre à hora certa. Ainda assim por cinco anos eles quase se casaram. Ele fez uma lista de argumentos pró e contra o casamento, entre eles a incapacidade de tolerar a invasão de sua própria vida (pró) e a visão das camisas de dormir estendidas na cama de seus pais às 10:30 (contra). Foi salvo pela hemorragia. Quando aconselhado a não falar pelos médicos do sanatório, espalhou frases de vidro pelo chão. Em Felice, diz uma delas, ainda existe um excesso de nudez.

Short Talk On Van Gogh

The reason I drink is to understand the yellow sky the great yellow sky, said Van Gogh. When he looked at the world he saw the nails that attach colours to things and he saw that the nails were in pain.

Fala Curta Sobre Van Gogh

Eu bebo para entender o céu amarelo o enorme céu amarelo, dizia Van Gogh. Quando olhava o mundo enxergava os pregos que prendem as cores às coisas e via a dor dos pregos.

Short Talk On Sleep Stones

Camille Claudel lived the last thirty years of her life in an asylum wondering why, writing letters to her brother the poet, who had signed the papers. Come visit me, she says. Remember I am living here with madwomen, days are long. She did not smoke or stroll. She refused to sculpt. Although they gave her sleep stones – marble and granite and porphyry – she broke them then collected the pieces and buried these outside the walls at night. Night was when her hands grew, huger and huger until in the photograph they are like two parts of someone else loaded onto her knees.

Fala Curta Sobre Pedras do Sono

Camille Claudel passou os últimos trinta anos de vida num hospício sem saber por quê, escrevendo cartas ao seu irmão poeta, que havia assinado os papéis. Venha me visitar, ela pedia. Lembre que vivo aqui cercada de loucas, os dias são compridos. Não fumava nem saía para caminhar. Recusava-se a esculpir. Embora lhe dessem pedras do sono — mármore, granito e pórfiro — ela as partia, depois juntava os pedaços e os enterrava à noite fora dos muros. De noite é que suas mãos cresciam, cada vez mais imensas até na fotografia parecerem duas partes de outra pessoa pesando em seus joelhos.

Short Talk On Walking Backwards

My mother forbad us to walk backwards. That is how the dead walk, she would say. Where did she get this idea? Perhaps from a bad translation. The dead, after all, do not walk backwards but they do walk behind us. They have no lungs and cannot call out but would love for us to turn around. They are victims of love, many of them.

Fala Curta Sobre Andar Para Trás

Minha mãe nos proibia de andar de costas. É assim que andam os mortos, ela dizia. De onde terá tirado essa ideia? Talvez de uma tradução ruim. Os mortos, afinal, não andam para trás, mas andam atrás de nós. Não têm pulmões e não podem nos chamar, mas adorariam que nos virássemos. São vítimas do amor, muitos deles.

Short Talk On Waterproofing

Franz Kafka was Jewish. He had a sister, Ottla, Jewish. Ottla married a jurist, Josef David, not Jewish. When the Nuremburg laws were introduced to Bohemia-Moravia in 1942, quiet Ottla suggested to Josef David that they divorce. He at first refused. She spoke about sleep shapes and property and their two daughters and a rational approach. She did not mention, because she did not yet know the word, Auschwitz where she would die in October 1943. After putting the apartment in order she packed a rucksack and was given a good shoeshine by Josef David. He applied a coat of grease. Now they are waterproof, he said.

Fala Curta Sobre a Impermeabilização

Franz Kafka era judeu. Tinha uma irmã, Ottla. Judia, Ottla casou-se com um jurista, Josef David, não judeu. Quando as leis de Nuremberg foram adotadas na Boêmia e Morávia em 1942, a discreta Ottla sugeriu a Josef David que se divorciassem. Ele de início recusou. Ela falou das posições no sono e dos bens e das duas filhas e de agir racionalmente. Ela não mencionou, porque ainda não conhecia a palavra, Auschwitz, onde morreria em outubro de 1943. Depois de deixar o apartamento em ordem, ela arrumou a mochila e teve os sapatos bem lustrados por Josef David. Ele lhes aplicou uma camada de graxa. Agora ficaram à prova d'água, disse.

Short Talk On The Mona Lisa

Every day he poured his question into her, as you pour water from one vessel into another, and it poured back. Don't tell me he was painting his mother, lust, etc. There is a moment when the water is not in one vessel nor in the other – what a thirst it was, and he supposed that when the canvas became completely empty he would stop. But women are strong. She knew vessels, she knew water, she knew mortal thirst.

Fala Curta Sobre a Mona Lisa

Todo dia ele despejava a pergunta nela, como se despeja a água de um vaso em outro, e ela era devolvida. Não venham me dizer que ele estava pintando a mãe, a luxúria, etc. Há um momento em que a água não está num vaso nem no outro — como era grande a sede, e ele imaginava que quando a tela ficasse completamente vazia ele iria parar. Mas as mulheres são fortes. Ela entendia de vasos, entendia de água, entendia de sede mortal.

Short Talk On The End

What is the difference between light and lighting? There is an etching called *The Three Crosses* by Rembrandt. It is a picture of the earth and the sky and Calvary. A moment rains down on them, the plate grows darker. Darker. Rembrandt wakens you just in time to see matter stumble out of its forms.

Fala Curta Sobre o Fim

Qual a diferença entre luz e iluminação?
Existe uma gravura chamada *As Três Cruzes*,
de Rembrandt. Representa a terra, o céu e o
Calvário. Um momento chove sobre os três,
a imagem fica mais escura. E mais escura.
Rembrandt nos desperta bem a tempo de ver
a matéria cambalear para fora das formas.

Short Talk On Sylvia Plath

Did you see her mother on television? She said plain, burned things. She said I thought it an excellent poem but it hurt me. She did not say jungle fear. She did not say jungle hatred wild jungle weeping chop it back chop it. She said self-government she said end of the road. She did not say humming in the middle of the air what you came for chop.

Fala Curta Sobre Sylvia Plath

Você viu a mãe dela na televisão? Ela disse coisas triviais, calcinadas. Disse achei o poema excelente mas ele me magoou. Ela não disse medo da selva. Ela não disse ódio à selva, selva primitiva chorando derrubem cortem tudo. Ela disse autocontrole ela disse fim do caminho. Não disse zumbindo suspensa no ar o que você veio fazer derrube.

Short Talk On Reading

Some fathers hate to read but love to take the family on trips. Some children hate trips but love to read. Funny how often these find themselves passengers in the same automobile. I glimpsed the stupendous clear-cut shoulders of the Rockies from between paragraphs of *Madame Bovary*. Cloud shadows roved languidly across her huge rock throat, traced her fir flanks. Since those days I do not look at hair on female flesh without thinking, Deciduous?

Fala Curta Sobre a Leitura

Alguns pais detestam ler mas adoram levar a família em viagem. Alguns filhos detestam viagens mas adoram ler. Engraçado como é frequente se encontrarem no mesmo automóvel. Vislumbrei os estupendos ombros nitidamente definidos das Rochosas por entre parágrafos de *Madame Bovary*. Sombras de nuvens percorriam lânguidas o imenso pescoço de pedra, delineavam os flancos plantados de abetos. Desde então não posso ver pêlos em carne feminina sem me perguntar: Decíduos?

Short Talk On Rain

It was blacker than olives the night I left. As I ran past the palaces, oddly joyful, it began to rain. What a notion it is, after all – these small shapes! I would get lost counting them. Who first thought of it? How did he describe it to the others? Out on the sea it is raining too. It beats on no one.

Fala Curta Sobre a Chuva

Era mais preta que azeitonas, a noite em que vim embora. Enquanto eu passava correndo pela fachada dos palácios, estranhamente exultante, começou a chover. Que ideia, no fim das contas — formas tão pequenas! Eu me perderia contando uma a uma. Quem foi o primeiro a pensar assim? Como terá descrito sua ideia para os outros? Em alto-mar também está chovendo. A chuva não cai em ninguém.

Short Talk On Vicuñas

A mythical animal, the vicuña fares well in the volcanic regions of northern Peru. Light thunders down on it, like Milton at his daughters. Hear that? – they are counting under their breath. When you take up your axe, listen. Hoofbeats. Wind.

Fala Curta Sobre as Vicunhas

Animal mítico, a vicunha vive bem nas regiões vulcânicas do norte do Peru. A luz ali vocifera com ela, como Milton com as filhas. Ouviram isso? — são elas escandindo aos sussurros. Quando vocês erguerem seu machado, apurem o ouvido. As pancadas dos cascos. O vento.

Short Talk On The Total Collection

From childhood he dreamed of being able to keep with him all the objects in the world lined up on his shelves and bookcases. He denied lack, oblivion or even the likelihood of a missing piece. Order streamed from Noah in blue triangles and as the pure fury of his classifications rose around him, engulfing his life they came to be called waves by others, who drowned, a world of them.

Fala Curta Sobre a Coleção Total

Desde a infância ele sonhava em conseguir guardar todos os objetos do mundo nas prateleiras de suas estantes. Negava a ausência, o esquecimento ou mesmo a possibilidade de alguma peça lhe faltar. A ordem emanava de Noé em triângulos azuis e à medida que a pura fúria de sua classificação se erguia à toda volta, engolfando a sua vida, começaram a ser chamadas de ondas pelos outros, vítimas de afogamento, um mundo inteiro delas.

Short Talk On Charlotte

Miss Bronte & Miss Emily & Miss Anne used to put away their sewing after prayers, and walk all three one after the other round the table in the parlour till nearly eleven o'clock. Miss Emily walked as long as she could, and when she died Miss Anne & Miss Bronte took it up – and now my heart aches to hear Miss Bronte walking, walking on alone.

Fala Curta Sobre Charlotte

Miss Brontë & Miss Emily & Miss Anne costumavam largar as costuras depois das orações, e caminhar uma atrás da outra ao redor da mesa da sala até quase às onze. Miss Emily caminhou até não poder mais, e quando morreu Miss Anne & Miss Brontë continuaram — e agora meu coração dói quando ouço Miss Brontë caminhando, continuando a caminhar sozinha.

Short Talk On Sunday Dinner With Father

Are you going to put that chair back where it belongs or just leave it there looking like a uterus? (Our balcony is a breezy June balcony). Are you going to let your face distorted by warring desires pour down on us all through the meal or tidy yourself so we can at least enjoy our dessert? (We weight down the corners of everything on the table with little solid silver laws). Are you going to nick your throat open on those woodpecker scalps as you do every Sunday night or just sit quietly while Laetitia plays her clarinet for us? (My father, who smokes a brand of cigar called *Dimanche Eternel*, uses them as ashtrays.)

Fala Curta Sobre o Jantar de Domingo Com Meu Pai

Você vai pôr essa poltrona de volta no lugar ou largar aí com esse jeito de útero? (A brisa de junho sopra em nossa varanda.) Vai deixar que a sua cara retorcida por desejos conflitantes se precipite sobre nós até o fim do jantar ou vai se recompor para podermos desfrutar pelo menos a sobremesa? (Prendemos os cantos de tudo sobre a mesa com pequenas leis sólidas de prata.) Você vai cortar os pulsos por causa desses escalpos de picapau, como em toda noite de domingo, ou ficar sentada quieta enquanto Laetitia toca clarineta para nós? (Meu pai, que fuma charutos da marca *Dimanche Eternel*, usa os escalpos de picapau como cinzeiros.)

Short Talk On The Youth At Night

The youth at night would have himself driven around the scream. It lay in the middle of the city gazing back at him with its heat and rose-pools of flesh. Terrific lava shone on his soul. He would ride and stare.

Fala Curta Sobre o Jovem à Noite

À noite, o jovem pedia para ser levado de carro e contornar o grito. Ficava no meio da cidade e o fitava de volta, com seu calor e seus roseiros de carne. Uma lava tremenda refulgia na alma do jovem. Ele passava de carro, olhando fixo.

Short Talk On *The Anatomy Lesson Of Dr. Deyman*

A winter so cold that, walking on the Breestraat and you passed from sun to shadow you could feel the difference run down your skull like water. It was the hunger winter of 1656 when Black Jan took up with a whore named Elsje Ottje and for a time they prospered. But one icy January day Black Jan was observed robbing a cloth merchant's house. He ran, fell, knifed a man and was hanged on the 27th of January. How he fared then is no doubt known to you: the cold weather permitted Dr. Deyman to turn the true eye of medicine on Black Jan for three days. One wonders if Elsje ever saw Rembrandt's painting, which shows her love thief in violent frontal foreshortening, so that his pure soles seem almost to touch the chopped open cerebrum. Cut and cut deep to find the source of the problem, Dr. Deyman is saying, as he parts the brain to either side like hair. Sadness comes groping out of it.

Fala Curta Sobre *A Aula de Anatomia do Dr. Deyman*

Um inverno tão frio que, ao caminhar pela Breestraat e passar do sol para a sombra, dava para sentir a diferença de temperatura escorrer crânio abaixo como água. Era o inverno da fome de 1656 quando Jan, o Negro, foi viver com uma puta chamada Elsje Ottje e por algum tempo prosperaram. Mas num dia gélido de janeiro Jan, o Negro, foi visto assaltando a casa de um mercador de tecidos. Ele correu, caiu, esfaqueou um homem e foi enforcado em 27 de janeiro. O que lhe adveio vocês certamente sabem: o frio permitiu que o dr. Deyman mantivesse o olho preciso da medicina assestado em Jan, o Negro, por três dias. Ocorre perguntar se Elsje jamais terá visto a pintura de Rembrandt que mostra seu amado ladrão em encurtamento frontal extremo, a tal ponto que as solas nuas dos pés parecem quase encostar no cérebro exposto. Cortem e cortem fundo para encontrar a fonte do problema, o dr. Deyman está dizendo, enquanto reparte os miolos ao meio como uma cabeleira. A tristeza transborda às cegas para fora deles.

Short Talk On Orchids

We live by tunnelling for we are people buried alive. To me, the tunnels you make will seem strangely aimless, uprooted orchids. But the fragrance is undying. A Little Boy has run away from Amherst a few Days ago, writes Emily Dickinson in a letter of 1883, and when asked where he was going replied, Vermont or Asia.

Fala Curta Sobre as Orquídeas

Vivemos cavando túneis porque somos pessoas enterradas vivas. Para mim, os túneis que você abre evocam orquídeas estranhamente sem sentido arrancadas pela raiz. Mas a fragrância é persistente. Um Menino fugiu de Amherst poucos Dias atrás, escreve Emily Dickinson numa carta de 1883, e quando lhe perguntaram aonde ia respondeu, Vermont ou a Ásia.

Short Talk On Penal Servitude

Je haïs ces brigands! said an aristocrat named M-ski one day in Omsk as he strode past Dostoevski with flashing eyes. Dostoevski went in and lay down, hands behind his head.

Fala Curta Sobre a Servidão Penal

Je haïs ces brigands! disse um aristocrata chamado M-ski certo dia em Omsk ao passar por Dostoievski com os olhos fulgurantes. Dostoievski entrou e se deitou, as mãos atrás da cabeça.

Short Talk On The Truth To Be Had From Dreams

Seized by a sudden truth I started up at 4 a.m. The word grip pronounced 'gripe' is applied only to towns, cities and habitations; the word gripe pronounced 'grip' can be used of human beings. In my dream I saw the two parts of this truth connected by a three-mile long rope of women's hair. And just at that moment all the questions of male and female soul murder, which were to be answered as soon as I pulled on the rope, broke away and fell in a chunk back down the rocky chasm where I had been asleep. We are the half and half again, we are the language stump.

Fala Curta Sobre a Verdade Revelada nos Sonhos

Tomada de assalto por uma verdade súbita, levantei-me num impulso às 4 da manhã. A palavra *fosso* só se aplica a cidades, maiores e menores, ou fortificações; a palavra *fossa* também pode se aplicar aos seres humanos. No meu sonho vi as duas partes dessa verdade conectadas por uma corda de cinco quilômetros de cabelos de mulher. E nesse exato momento todas as perguntas em torno do assassinato das almas masculinas ou femininas, que precisavam ser respondidas assim que eu puxasse a corda, se desprenderam e caíram amontoadas no fundo do abismo pedregoso onde eu antes dormia. Somos metade e mais metade, somos o coto da linguagem.

Short Talk On Hölderlin's World Night Wound

King Oedipus may have had an eye too many, said Hölderlin and kept climbing. Above the treeline is as blank as the inside of a wrist. Rock stays. Names stay. Names fell on him, hissing.

**Fala Curta Sobre a Ferida Noturna
no Mundo de Hölderlin**

Pode ser que o rei Édipo tivesse um olho a mais, disse Hölderlin e continuou escalando. À altitude onde já não crescem árvores a paisagem é vazia, como no avesso do pulso. A pedra fica. Os nomes ficam. Os nomes caíam sobre ele, sibilantes.

Short Talk On The Sensation Of Aeroplane Takeoff

Well you know I wonder, it could be love running towards my life with its arms up yelling let's buy it what a bargain!

**Fala Curta Sobre a Sensação
na Decolagem do Avião**

Sabe, eu fico pensando, podia ser o amor correndo na direção da minha vida com os braços para cima berrando vamos comprar é uma pechincha!

Short Talk On My Task

My task is to carry secret burdens for the world. People watch curiously. Yesterday morning at sunrise for example, you could have seen me on the breakwall carrying gauze. I also carry untimely ideas and sins in general or any faulty action that has been lowered together with you into this hour. Trust me. The trotting animal can restore red hearts to red.

Fala Curta Sobre a Minha Tarefa

Minha tarefa é carregar os fardos secretos desse mundo. As pessoas assistem curiosas. Ontem de manhã quando o sol nasceu, por exemplo, vocês poderiam me ver no quebra-mar com uma carga de gaze. Também carrego ideias despropositadas e pecados em geral, ou qualquer ação infeliz que tenha cabido a vocês nesta hora. Podem acreditar. O animal que trota pode restaurar o vermelho dos corações vermelhos.

Short Talk On Hedonism

Beauty makes me hopeless. I don't care why anymore I just want to get away. When I look at the city of Paris I long to wrap my legs around it. When I watch you dancing there is a heartless immensity like a sailor in a dead calm sea. Desires as round as peaches bloom in me all night, I no longer gather what falls.

Fala Curta Sobre o Hedonismo

A beleza me deixa sem esperança. Nem pergunto mais por que, só quero ir embora. Quando olho para a cidade de Paris me dá vontade de enlaçá-la com as pernas. Quando vejo você dançar sinto uma imensidão impiedosa, como um marujo no meio de uma calmaria. Desejos redondos feito pêssegos brotam em mim a noite inteira, já não colho mais o que cai.

Short Talk On The King And His Courage

He arose laden with doubt as to how he should begin. He looked back at the bed where the grindstone lay. He looked out at the world, the most famous experimental prison of its time. Beyond the torture stakes he could see, nothing. Yet he could see.

Fala Curta Sobre o Rei e Sua Coragem

Ele despertou cheio de dúvidas quanto à maneira de começar. Olhou de volta para a cama onde descansava a pedra de amolar. Olhou para o mundo lá fora, a prisão experimental mais famosa do seu tempo. Para além dos pelourinhos dos torturados, não via mais nada. Embora enxergasse bem.

Short Talk On Shelter

You can write on a wall with a fish heart, it's because of the phosphorous. They eat it. There are shacks like that down along the river. I am writing this to be as wrong as possible to you. Replace the door when you leave, it says. Now you tell me how wrong that is, how long it glows. Tell me.

Fala Curta Sobre Refúgios

Você pode escrever na parede com um coração de peixe por causa do fósforo que eles comem. Há choupanas como esta rio abaixo ao longo das margens. Escrevo isto para errar o máximo possível com você. Troque a porta quando sair, está escrito. Agora me diga você o quanto isso está errado, por quanto tempo o brilho perdura. Diga.

Short Talk On Who You Are

I want to know who you are. People talk about a voice calling in the wilderness. All through the Old Testament a voice, which is not the voice of God but which knows what is on God's mind, is crying out. While I am waiting, you could do me a favour. Who are you?

Fala Curta Sobre Quem Você É

Quero saber quem você é. Falam de uma voz clamando no deserto. De fora a fora do Antigo Testamento uma voz, que não é a voz de Deus mas sabe o que passa pela cabeça de Deus, se faz ouvir. Enquanto espero, você podia me fazer um favor. Quem é você?

Posfácio da autora

Short Talk On Afterwords

An afterword should leave the skin quickly, like an alcohol rub. Here is an example, from Emily Tennyson's grandmother, her complete diary entry for the day of her wedding, May 20, 1765:

> Finished *Antigone*, married Bishop.

Fala Curta Sobre Posfácios

Um posfácio precisa se desprender da pele tão depressa quanto uma fricção de álcool. Eis aqui um exemplo, da avó de Emily Tennyson, a entrada completa de seu diário para o dia em que se casou, 20 de maio de 1765:

Terminei *Antígona*. Desposei Bishop.

Sobre a autora

Anne Carson nasceu no Canadá e ganha a vida dando aulas de grego antigo.

1ª reimpressão [set. 2023]
1ª edição [2022]

Esta obra foi composta em Galliard e impressa sobre
papel Pólen Bold 90 g/m² para a Relicário Edições.